D0412089

JOJO LAPIN
CONTRE-ATTAQUE

ALAIN ROYER
EMMANUEL BAUDRY

JOJO LAPIN CONTRE-ATTAQUE

ILLUSTRATIONS DE JEANNE BAZIN

HACHETTE

HACHETTE, 79, BOULEVARD SAINT-GERMAIN, PARIS VIe

CHAPITRE PREMIER

Jojo Lapin tombe dans le lac

La forêt était enfouie sous la neige. Le lac était gelé. Mais la température remontait peu à peu.

Maître Renard et Compère Loup, très amaigris après le dur hiver, n'avaient pas grand-chose à se mettre sous la dent.

Ils se promenaient tous les deux, l'air morose, en quête d'une proie. En passant devant le lac, l'envie les prit d'aller y faire des glissades. Compère Loup allait s'élancer, mais Maître Renard, prudent, le retint :

« Attention, il ne fait plus si froid et la glace n'est peut-être plus très solide. »

Le loup s'arrêta à la dernière seconde, juste au bord du lac. Le renard ramassa un gros bâton et commença à taper sur la glace. Il ne tarda pas à faire un trou. Compère Loup poussa un soupir de soulagement : un peu plus et il aurait pris un bain dans l'eau glacée.

Depuis quelques secondes Maître Renard paraissait pensif, une mauvaise lueur dans les yeux.

« Qu'as-tu ? demanda le loup. On dirait que tu viens d'avoir une idée.

— En effet, répondit le renard. Qu'est-ce que tu penserais de congeler un lapin et de le manger un de ces prochains jours ?

— Un lapin ? Mais nous n'avons pas de lapin.

— Ecoute-moi bien et tu comprendras. »

Et Maître Renard exposa son plan à l'oreille de Compère Loup. Ensuite les deux amis se mirent à la recherche de Jojo Lapin. Ils ne tardèrent pas à le trouver. Quand Jojo vit le renard et le loup, il se dit qu'il n'y avait rien de bon à attendre d'eux. Il s'éloigna donc prudemment.

« Attends, Jojo, attends ! s'écria Maître Renard. Nous avons quelque chose à te dire.

— Si vous avez quelque chose à me dire, inutile de vous approcher davantage, je vous entends très bien. »

Compère Loup et Maître Renard cessèrent d'avancer.

« Tout le monde sait que tu cours très vite, reprit Maître Renard. Nous savons aussi que tu es très rapide en patins à glace. Mais tu n'es pas aussi rapide que nous.

— Ça m'étonnerait ! Personne ne patine aussi vite que moi ! s'exclama Jojo avec fierté.

— Eh bien, nous te lançons un défi : retrouvons-nous dans un quart d'heure sur le bord du lac avec nos patins à glace et nous ferons une course.

— D'accord ! » dit Jojo, certain de gagner.

Un quart d'heure plus tard, le loup, le renard et le lapin se retrouvaient au bord du lac. Jojo, toujours méfiant, se tenait à bonne distance des deux autres.

Dès qu'ils eurent fini de lacer leurs patins, ils se redressèrent et Maître Renard expliqua :

« Nous allons traverser le lac dans toute sa longueur jusqu'au grand chêne qu'on aperçoit en face. Vous êtes prêts ?

— Oui, répondirent Jojo et Compère Loup.

— Alors je compte jusqu'à trois et on y va. Un... Deux... Trois... Partez. »

Jojo s'élança comme une fusée. Maître Renard et Compère Loup n'avaient pas bougé d'un pouce. Mais Jojo était tellement préoccupé par son désir de gagner la course qu'il ne s'en aperçut même pas. Il ne fit pas cinq mètres qu'il entendit un horrible craquement. De grandes fissures se formèrent dans la glace qui céda aussitôt sous les pieds de Jojo.

En voyant le lapin faire un plongeon dans l'eau glacée, Maître Renard et Compère Loup éclatèrent d'un rire cruel.

« Au secours ! Au secours ! » cria Jojo.

A chaque fois qu'il essayait de remonter sur la glace, Jojo glissait et retombait. Ses efforts inutiles l'épuisaient et de plus il commençait à sentir l'eau glacée le paralyser.

« Aidez-moi ! Vous voyez bien que je ne peux pas m'en tirer seul ! » lança-t-il, en claquant des dents.

Hélas ! les appels de Jojo ne provoquaient que les ricanements du loup et du renard !

« Dès que tu seras bien gelé, je t'attraperai avec une épuisette et je te mettrai dans mon congélateur, expliqua Maître Renard. Compère Loup et moi nous te mangerons dans quelques jours. Nous repasserons tout à l'heure pour voir si tu t'es bien transformé en glaçon. »

Et les deux gredins s'éloignèrent, un grand sourire aux lèvres.

Pauvre Jojo Lapin ! Complètement engourdi par le froïd, il sentait ses forces l'abandonner. Jamais il n'arriverait à regagner la rive tout seul. Il lui fallait de l'aide au plus vite.

Soudain il entendit un bruit sur la rive. Mais il ne vit personne.

« Qui est là ? demanda-t-il.

— C'est moi, Adélaïde, répondit la petite voix de la grenouille. Où es-tu, Jojo ? Je ne te vois pas.

— Je suis tombé dans le lac. Vite, viens à mon secours, sinon je vais mourir de froid.

— Je ne peux pas te sortir de là, expliqua Adélaïde. Tu es beaucoup trop lourd pour moi. »

C'était bien vrai. Et pourtant il ne restait plus que quelques minutes pour tirer Jojo vivant du lac. Malgré le froid de plus en plus pénétrant, Jojo se mit à réfléchir à toute vitesse.

« J'ai trouvé, s'écria-t-il tout à coup. Tu es tellement légère que tu peux sûrement marcher sur la glace. Essaie donc pour voir. »

Adélaïde posa une patte prudente

sur la glace. Elle appuya bien fort. Rien ne se produisit. Elle avança alors sur la glace et se dirigea vers Jojo.

« Oh ! mon pauvre Jojo, ce que tu dois avoir froid ! se lamenta-t-elle. Tu as raison, la glace est assez solide pour moi. Malheureusement je ne peux rien faire pour te tirer de là.

— Si, tu peux me sauver. Cours vite jusque chez moi et rapporte la cordelette en nylon qui se trouve dans le placard de la cuisine. »

Adélaïde regagna la rive et se rendit, aussi vite qu'elle le put, chez Jojo. Elle ouvrit le placard, prit la cordelette et revint jusqu'au lac.

« J'ai la cordelette, s'écria-t-elle.

— Parfait. Attache l'une des extrémités à un arbre et ensuite viens m'apporter l'autre. »

Vite, Adélaïde fit ce que lui demandait Jojo. Ce dernier saisit la cordelette et parvint à regagner la rive. Après avoir remercié la grenouille avec effusion, il rentra chez lui. Il grelottait

de froid. Il alluma aussitôt un grand feu pour se réchauffer et but un bouillon bien chaud.

Quand il se sentit tout à fait bien, Jojo monta au grenier, prit un vieux sac qu'il bourra de paille et auquel il cousit rapidement deux longues oreilles découpées dans un vieux tapis.

Après s'être chaudement couvert, il sortit de chez lui et courut jusqu'au lac. Puis il lança le mannequin qu'il venait de fabriquer à l'endroit où il y avait un trou dans la glace.

« Pas de doute, vu d'ici, on dirait tout à fait un lapin ! » murmura Jojo en se frottant les pattes.

Ravi, il alla se cacher derrière un arbre et attendit.

Il ne tarda pas à entendre les voix de Maître Renard et Compère Loup. Les deux gredins semblaient d'excellente humeur.

« Voyons voir si notre lapin est juste à point pour être transporté dans mon congélateur, dit le renard en posant son épuisette au bord du lac.

— Je l'aperçois, dit le loup en écarquillant les yeux car la nuit commençait à tomber. Il est toujours dans l'eau.

— Et il ne bouge plus du tout, ajouta le renard. Ce doit être un vrai bloc de glace. »

Maître Renard ramassa son épuisette et, suivi par Compère Loup, il s'approcha du bord du lac. Juste à ce moment-là, il fut poussé dans le dos. Il trébucha et sentit la glace se briser sous lui. Avant même d'avoir le temps de se demander ce qui se passait, Compère Loup subit le même sort.

« Au secours ! Au secours ! » s'écrièrent le loup et le renard en barbotant dans l'eau glacée.

Jojo se mit à rire et à se moquer d'eux.

Les deux gredins ne pouvaient pas en croire leurs oreilles.

« Tu es vivant, Jojo ? Comment est-ce possible ! Enfin peu importe, tu nous expliqueras plus tard ! D'abord tire-nous de là.

— Moi, je voudrais bien ! dit Jojo sur un ton goguenard. Mais n'oubliez pas que je suis transformé en glaçon. Et comme vous le savez, un glaçon est bien incapable de faire le moindre mouvement. »

Sur ces mots, Jojo rentra chez lui en riant.

Au moment où Compère Loup et Maître Renard, épuisés, allaient mourir de froid, Frère Ours, qui passait par là, les sortit du lac. Les deux gredins, malades et incapables de tenir sur leurs pattes, durent rester au lit quinze jours et avaler des médicaments au goût épouvantable !

CHAPITRE II

Un étrange ramoneur

Jojo Lapin regardait tranquillement la télévision lorsqu'il entendit du vacarme sous son toit. Méfiant, il jeta un coup d'œil par la fenêtre mais ne vit personne.

Le vacarme recommença. Quelqu'un

était monté sur le toit : plus de doute possible !

Jojo s'approcha donc de la cheminée et cria :

« Oh là ! que se passe-t-il là-haut ?

— C'est le ramoneur ! répondit Maître Renard qui s'efforçait bien maladroitement de déguiser sa voix.

— Je ne me rappelle pas vous avoir demandé de passer, objecta Jojo.

— Mais nous passons chaque année, expliqua le faux ramoneur. C'est obligatoire de faire ramoner ses cheminées. Sinon gare aux incendies ! »

Jojo Lapin n'insista pas. Il avait compris ce que projetait Maître Renard : descendre par la cheminée, profiter de l'effet de surprise et s'emparer de lui. Une fois encore Jojo allait affronter son vieil ennemi. Un ennemi qui n'avait jamais eu qu'une seule idée en tête : le manger !

Le lapin réfléchit quelques secondes et trouva la parade. Vite il délaya deux sachets de colle à prise rapide dans une énorme bassine qu'il courut mettre dans l'âtre.

Il était temps : Renard se faufilait déjà dans le conduit.

Plouf, il atterrit dans la colle.

Dès que Renard bondit hors de la bassine, Jojo l'aspergea des plumes d'un oreiller qu'il venait d'éventrer.

Quelques secondes plus tard, Renard méconnaissable, ressemblait à une boule de plumes. Très inquiet, il courut plonger dans la mare voisine en effrayant les oies.

Mais la colle, déjà sèche, ne se dilua pas dans l'eau.

Mouillé, Renard paraissait encore plus effroyable !

Les oies, qui avaient assisté à son plongeon, se répandirent alentour en caquetant qu'un monstre venait de les chasser de leur mare. Elles affirmèrent en claquant du bec qu'il s'agissait certainement d'un animal très dangereux.

« Je ne suis pas assez vengé de

Maître Renard. Il mérite une bonne leçon ! » pensa Jojo.

La réaction des oies venait de lui donner une idée.

Il se mit à sillonner la forêt en criant à tue-tête :

« Alerte, alerte, un bouchemouille rôde dans les parages. »

Les animaux ne tardèrent pas à s'inquiéter. Ils se rassemblèrent pour écouter Jojo.

Biquette, qui avait très peur pour ses filles, promit quelques bons coups de cornes au cas où elle rencontrerait le monstre. Benjamin le bélier, pour ne pas être en reste, promit de l'aplatir comme une galette.

« Qu'il ne traverse pas mon champ, déclara Roussotte la vache, sinon mes cornes lui ôteront l'envie de s'attarder dans la région.

— Au fait, demanda Lulu le faucon, à quoi ressemble un bouchemouille ?

— Eh bien, ça ressemble à une

grosse poule qui n'aurait pas d'ailes mais quatre pattes, expliqua Jojo le plus sérieusement du monde.

— Curieux oiseau ! déclara Lulu. Et ça vole ?

— Non, non, répondit Jojo en s'efforçant de ne pas rire. Ça court mais ça ne vole pas. Et puis ça a un museau pointu avec des dents...

— Alors ce n'est pas un oiseau, trancha Lulu catégorique. Je n'ai jamais vu un oiseau avec des dents.

— Je n'ai jamais prétendu qu'un

bouchemouille était un oiseau, dit Jojo. C'est un animal à plumes et à dents.

— Curieux, curieux, grommela Sire Lion.

— Le bouchemouille est dangereux parce qu'il attaque toujours en traître quand on s'y attend le moins. Il saute sur sa proie et crac ! il la tue en un clin d'œil, poursuivit Jojo.

— Qu'allons-nous faire pour nous défendre ? demanda Frère Ours.

— Le mieux est d'organiser une battue », assura Jojo.

Les animaux, terrorisés à l'idée de se retrouver seuls nez à nez avec le bouchemouille, acceptèrent aussitôt la proposition du lapin.

Et la battue commença.

Le seul à ne pas en être était évidemment Maître Renard. L'ours en fit la remarque à Compère Loup.

« Espérons qu'il n'a pas été attaqué par le bouchemouille, dit le loup avec inquiétude.

— Si le bouchemouille a mangé

Renard, je le tuerai de ma propre patte », grommela Frère Ours.

Renard, honteux et bien embêté, se cachait au plus épais des buissons. Comment retirer cette colle qui avait enduit ses poils et fixait si solidement ces horribles plumes ?

C'est alors qu'il entendit le bruit de la battue.

Il écarta un buisson et vit tous les animaux fouiller attentivement le sous-bois.

« Que peuvent-ils bien faire ? » se demanda-t-il.

Le vent portait de son côté et il put ainsi entendre des bribes de conversation.

Les animaux parlaient d'un bouche-mouille qui se cachait dans les bois. Et Renard ne tarda pas à comprendre qu'il s'agissait d'un horrible monstre cruel.

« Quelle catastrophe ! pensa-t-il. Il ne manquerait plus que cette épouvantable bête s'attaque à moi. Quelle mauvaise journée décidément ! »

Apercevant ses deux amis, Compère Loup et Frère Ours, qui battaient les buissons côte à côte, il s'approcha d'eux en se faufilant de son mieux. Déjà il ouvrait la bouche pour leur expliquer son malheur lorsque Frère Ours hurla :

« Attention, le bouchemouille ! »

Et, sans laisser à Renard stupéfait le temps de réagir, il se rua sur lui et l'assomma d'un formidable coup de patte.

Les autres animaux accoururent et entourèrent le bouchemouille. Ils le tournèrent et le retournèrent dans tous les sens jusqu'à ce qu'il revienne à lui. Les glapissements que poussa aussitôt le malheureux Renard ne tardèrent pas à le faire reconnaître.

Quant à Jojo, il s'était dépêché de rentrer chez lui. Séraphine la tortue vint lui raconter le lendemain qu'il avait fallu presque deux litres d'un pro-

« Attention, le bouchemouille ! » →

duit qui sentait mauvais, très mauvais, pour décoller les plumes du pelage de Renard.

« Et tu sais, on le sent de très loin maintenant, ajouta-t-elle en riant. Il peste contre toi et jure qu'il aura sa revanche.

— Tu m'étonnes ! dit Jojo en riant lui aussi. Mais je pense que l'envie de jouer les ramoneurs a dû lui passer définitivement. »

CHAPITRE III

La nouvelle télévision de Maître Renard

Maître Renard entendit un coup de sonnette et se précipita vers la porte. Peut être s'agissait-il enfin de la livraison qu'il attendait avec tant d'impatience ? A peine aperçut-il la camionnette garée devant chez lui et la caisse posée devant la porte, il se mit à gambader de joie.

« C'est mon poste de télévision ? demanda-t-il tout excité.

— Oui », répondit le livreur en portant la caisse dans la salle de séjour.

Dix minutes plus tard, la télévision trônait au milieu de la pièce. Maître Renard l'admira une bonne partie de la matinée. Puis il décida de courir annoncer la nouvelle à Compère Loup et à Frère Ours. Evidemment, ses deux amis furent très curieux de voir la merveille.

« Je vous invite tous les deux à venir regarder les émissions de ce soir chez moi », proposa Renard.

Compère Loup et Frère Ours acceptèrent avec enthousiasme sans savoir que Séraphine la tortue avait entendu toute la conversation.

La tortue se rendit aussitôt chez Jojo Lapin pour lui raconter ce qu'elle venait d'apprendre.

« Non seulement ce gredin de

Renard a voulu me manger en se faisant passer pour un ramoneur, mais en plus il ne nous invite même pas ! s'exclama Jojo. Il mérite une bonne leçon. Qu'en penses-tu, Séraphine ?

— Ça, tu as bien raison... mais que pouvons-nous faire ? D'autant que ce soir Frère Ours et Compère Loup seront chez lui. A eux trois, ils sont vraiment trop forts pour nous.

— Ils sont peut-être plus forts que nous mais certainement pas aussi malins, répliqua Jojo avec un sourire diabolique. Il suffit de trouver une idée. Reviens me voir après déjeuner, nous reparlerons de tout ça. »

Une fois Séraphine partie, Jojo se rendit au village pour acheter un kilo de carottes et le journal.

Puis il rentra chez lui, s'installa dans un fauteuil profond et se mit à lire le journal en grignotant une carotte.

La page de la météo attira tout à coup son attention. Elle annonçait en effet que le vent soufflerait en tempête sur toute la région, ce soir-là.

Séraphine revint après déjeuner comme promis.

« Ça y est, lui annonça Jojo, j'ai trouvé ce que nous allons faire. Je t'expliquerai tout en détail plus tard. Pour l'instant, il faut que tu attires Maître Renard hors de chez lui.

— Comment veux-tu que je fasse ? C'est impossible.

— Au contraire, c'est très simple. Renard est un gros gourmand. Invite-le à goûter chez toi, il acceptera. »

Séraphine n'avait guère envie d'inviter Renard. Mais Jojo paraissait si sûr de son plan qu'elle accepta.

Renard ne se fit pas prier pour aller manger des biscuits et boire du chocolat chez la tortue. Jojo les croisa dans la forêt et s'arrêta pour leur lancer :

« Je ne sais pas si vous avez la télévision mais...

— Bien sûr que j'ai la télé ! coupa Maître Renard, très fier de lui. On vient de m'en livrer une magnifique !

— Eh bien, reprit Jojo, je viens

d'être embauché comme présentateur du bulletin météo. N'oublie pas de me regarder ce soir. »

Sur ces mots, Jojo s'éloigna en courant. Séraphine se garda bien de montrer sa surprise. Quant à Maître Renard, il pensait qu'il s'agissait d'une vantardise de Jojo et il n'en crut pas un mot.

Jojo Lapin arriva bientôt devant la maison de Renard. Il se glissa à l'intérieur et se dirigea droit sur la télévision. Avec un grand tournevis, il commença à la démonter. Puis il alla enterrer tout ce qu'elle contenait dans le jardin. Ensuite, Jojo s'installa à l'intérieur, muni d'une lampe électrique, et piqua un somme.

Quand Maître Renard rentra de chez Séraphine, il installa trois fauteuils en face de la télévision puis prépara des boissons fraîches et des olives farcies. Il ne lui restait plus qu'à attendre avec impatience la venue de ses deux amis.

On sonna enfin à la porte. Renard courut ouvrir. Compère Loup et Frère Ours, qui avaient fait le trajet ensemble, se tenaient sur le seuil.

« Entrez donc et installez-vous confortablement.

— Tu as raison, dit le loup, cette télévision est magnifique.

— Et l'écran est vraiment très grand, ajouta l'ours. J'espère qu'il y a un bon programme ce soir.

— Figurez-vous que j'ai croisé Jojo, reprit Renard. Ce prétentieux affirme

qu'il est journaliste à la télévision. Quel menteur ! »

Maître Renard alluma la télévision et les trois amis eurent alors l'énorme surprise de voir le lapin apparaître sur l'écran.

« Bonsoir, mesdames, bonsoir, mesdemoiselles, bonsoir, messieurs, dit Jojo. Voici nos prévisions météorologiques pour la soirée. A la suite de très fortes pluies sur les montagnes voisines, les eaux de la rivière vont considérablement monter et toute la région va être inondée. Quiconque habite près de la rivière doit savoir que l'eau risque d'atteindre le premier étage, voire le second. Une seule solution pour sauver les meubles : les mettre à l'abri sur le toit. La crue menaçant d'atteindre un de nos émetteurs, nous sommes au regret d'interrompre nos émissions. »

Jojo éteignit la lampe de poche dont il s'était servi pour s'éclairer le visage et l'écran redevint obscur.

Si le lapin devait se tenir les côtes pour ne pas éclater de rire, Maître Renard et ses deux invités n'avaient, eux, aucune envie de rire. Non seulement leur « soirée-télé » était gâchée mais, de plus, ils étaient inquiets.

« Je n'habite pas bien loin de la rivière, soupira Renard. Je risque fort d'être inondé. Je crois que je vais suivre le conseil de la télévision. Allez, donnez-moi un coup de main pour monter les meubles sur le toit. »

Compère Loup et Frère Ours se dévouèrent à contrecœur. Les trois amis commencèrent par les meubles les plus lourds. Dès que la pièce fut vide, Jojo Lapin se glissa hors de la télévision et courut rejoindre Séraphine qui, cachée dans un buisson, observait la scène sans comprendre.

« Ils sont tombés sur la tête ! s'exclama-t-elle. Quelle idée bizarre de monter les meubles sur le toit ! »

Jojo expliqua à son amie les raisons de cette étrange conduite.

« Et que va-t-il se passer ensuite ? demanda la tortue.

— Attends un peu, tu vas comprendre », répondit Jojo.

Maître Renard et ses deux amis ne tardèrent pas à se sentir complètement épuisés.

« On s'en souviendra de tes invitations ! maugréa le loup.

— Pour une soirée de détente, c'était réussi ! grogna l'ours.

— Je ne pouvais pas prévoir ce qui allait arriver ! protesta Maître Renard. Et si au lieu d'attendre bêtement que l'eau monte pour grimper sur le toit nous allions surveiller la rivière... »

A peine eurent-ils franchi la porte, les trois amis furent pris dans les rafales d'un vent à décorner les bœufs. La tempête annoncée par le journal venait de se lever. Elle redoubla bientôt de violence.

Les meubles commencèrent à tomber du toit et à s'écraser sur le sol où ils se brisèrent en mille morceaux.

Maître Renard se mit à pousser des cris de désespoir. Mais il se tut lorsqu'il reçut sur la tête un fauteuil qui l'envoya au pays des rêves. Frère Ours et Compère Loup subirent le même sort. L'un reçut un canapé et l'autre une armoire à glace.

Quand il ne resta plus rien sur le toit, Jojo et Séraphine s'approchèrent des trois blessés.

« Que fais-tu exactement ? demanda Jojo à Renard. Tu brises tes meubles pour en faire du bois de chauffage ? »

Renard ouvrit un œil et reconnut Jojo. Incapable de faire le moindre geste, il se contenta de murmurer :

« Tu avais annoncé une inondation, pas une tempête.

— Oh ! tu sais, il ne faut pas toujours se fier à la météo », dit Jojo en riant.

CHAPITRE IV

Le grand dîner de Frère Ours

Depuis plusieurs jours Frère Ours était d'humeur morose. Il avait été invité à dîner d'abord chez Maître Renard puis chez Compère Loup. Il aurait bien voulu les inviter à son tour, mais ne savait pas quel plat leur préparer.

Frère Ours eut beau lire des livres de cuisine, interroger ses amis et passer des journées entières à réfléchir, il n'eut pas la moindre idée.

Chaque jour, quand il allait se promener, il croisait le loup et le renard. Et chaque jour les deux compères lui posaient la même question :

« Quand vas-tu nous inviter ?

— Bientôt, bientôt », répondait toujours Frère Ours en hâtant le pas pour ne pas prolonger la conversation.

Finalement il n'osait plus sortir de chez lui de crainte de rencontrer le loup et le renard.

Un jour, il aperçut par la fenêtre Jojo Lapin qui rentrait chez lui en poussant une brouette pleine de carottes. La vue de ce garnement qui lui avait joué tant de mauvais tours lui donna enfin l'idée qu'il cherchait depuis si longtemps.

« Je ne suis pas sûr d'aimer le lapin, se dit Frère Ours, mais Compère Loup et Maître Renard en raffolent. Je sais maintenant quel menu je vais leur préparer. »

Sans plus attendre il se lança à la poursuite de Jojo et le rattrapa. Ce dernier, en le voyant fondre sur lui comme un obus, prit peur et s'enfuit en abandonnant ses carottes.

« Reviens, Jojo, s'écria Frère Ours. Je ne te veux aucun mal. J'ai vu que tu poussais cette lourde brouette et j'ai décidé de t'aider. »

Et hop, il se mit à pousser la brouette en direction de la maison de Jojo !

D'abord Jojo n'en crut pas ses yeux. Puis il se rassura peu à peu et, arrivé devant chez lui, il indiqua à Frère Ours où il fallait ranger les carottes.

Jojo était bien content que Frère Ours ait fait l'effort de transporter les carottes à sa place. Il s'approcha de lui et lui déclara :

« Je te remercie beaucoup pour le service que tu viens de me rendre. Si, à mon tour, je peux t'être utile en quoi que ce soit, n'hésite pas à me le demander.

— Puisque tu me le proposes si gentiment, dit Frère Ours, j'aimerais bien que tu me fasses une petite faveur. »

Jojo Lapin commençait déjà à regretter sa proposition. Il avait beaucoup de choses à faire et n'avait guère envie de perdre son temps à aider l'ours.

« De quoi s'agit-il ? demanda-t-il en fronçant un sourcil méfiant.

— Peux-tu me prêter un grand sac ? »

Jojo poussa un profond soupir de soulagement. Frère Ours n'était vraiment pas très exigeant.

Jojo descendit à la cave et en remonta avec un sac à pommes de terre. Un sac vide, bien entendu.

« Voilà ce qu'il te faut », déclara-t-il.

Frère Ours déplia le sac, l'ouvrit et l'examina sous toutes les coutures.

« Tu as raison, c'est exactement ce qu'il me faut ! »

Et, en disant ces mots, Frère Ours se précipita sur Jojo, l'attrapa par les oreilles et l'enfourna dans le sac qu'il noua aussitôt solidement.

« Au secours, au secours ! » se mit à hurler Jojo Lapin.

Mais personne n'entendit ses appels à l'aide. Frère Ours, sans perdre une seconde, rentra chez lui au grand galop. Arrivé dans sa maison, il ferma la porte à clé et se barricada dans sa cuisine. Puis, sûr que Jojo ne pourrait plus s'échapper, il le sortit du sac.

« Qu'attends-tu de moi ? Pourquoi m'as-tu capturé de cette façon ? Relâche-moi immédiatement !

— Excuse-moi, Jojo, répondit l'ours, mais je ne pouvais pas agir autrement. Je dois inviter à dîner Compère Loup et Maître Renard. Je ne savais pas quoi leur préparer et je n'en dormais plus la nuit. Finalement j'ai trouvé : ils apprécieront énormément un bon lapin à la moutarde ! »

Frère Ours s'attendait à voir Jojo

pousser des cris, se mettre à pleurer, manifester bruyamment son désespoir. Il fut très étonné de constater que Jojo restait très calme. Et il fut encore bien plus surpris de l'entendre déclarer :

« Je te félicite, ton idée est excellente ! »

Après une pause, Jojo reprit :

« Et quels légumes comptes-tu servir avec ton lapin ?

— Ah, ça je n'y avais pas pensé, dit Frère Ours en se grattant le sommet du crâne. Tu es sûr que le lapin ne suffit pas ?

— Un lapin sans légume n'a aucun goût, répondit Jojo. Compère Loup et Maître Renard seront furieux s'ils ne mangent pas en même temps de bonnes carottes juteuses, des pommes de terre à la crème et un chou gratiné. »

Frère Ours était bien ennuyé. Il avait compté mettre Jojo dans une marmite, poser la marmite sur le feu et puis attendre... Il ne savait absolument pas préparer les légumes et

IEL
MI
Miel
EL
MIEL
MI
Mi

redoutait par-dessus tout de mécontenter ses invités. Voyant son embarras, Jojo Lapin reprit la parole :

« Puisque tu m'as aidé à transporter mes carottes, je veux bien t'aider à préparer ton dîner.

— Tu ferais ça pour moi ? demanda Frère Ours en reprenant espoir.

— Oui, affirma Jojo. Mais à une condition.

— Laquelle ?

— J'exige que tu suives mes instructions à la lettre. Sinon il ne sera pas possible de réussir mes recettes, expliqua Jojo.

— D'accord. »

Frère Ours alla chercher des carottes, des pommes de terre et un chou. Puis, suivant scrupuleusement les indications de Jojo, il commença à les préparer.

« As-tu pensé à prévenir que le dîner aurait lieu ce soir ? demanda tout à coup Jojo.

— Heureusement que tu es là !

J'avais complètement oublié. Je cours les inviter. »

Frère Ours allait sortir de la cuisine lorsqu'un soupçon l'arrêta.

« Dis donc, demanda-t-il, ne serait-ce pas une ruse pour t'enfuir ?

— Pas du tout, protesta Jojo. Et si tu ne me crois pas, tu n'as qu'à me ligoter sur une chaise. »

Frère Ours jugea plus prudent de ficeler Jojo avant de courir chez Maître Renard puis chez Compère Loup. Tous les deux étaient ravis de cette invitation et auraient bien voulu connaître le menu. Mais Frère Ours prit un air mystérieux et refusa de répondre. Il se contenta d'affirmer :

« Ce sera une surprise ! Je vous promets que ce sera un dîner que vous n'oublierez pas de sitôt ! »

Puis Frère Ours rentra chez lui, défit les liens de Jojo Lapin et ils continuèrent, tous les deux, à préparer les légumes. Une excellente odeur ne tarda pas à se répandre dans la cuisine.

« Dis donc, Jojo, s'exclama tout à coup Frère Ours, les légumes sont presque cuits. Il faudrait peut-être commencer à préparer le lapin.

— Tu as raison, dit Jojo. Mais d'abord il faut goûter les légumes. »

Et Jojo se remplit une grande assiette de pommes de terre, de carottes et de chou qu'il se mit à manger d'excellent appétit. Frère Ours commença à s'inquiéter :

« Je croyais que tu devais seulement goûter. Mais tu es en train de tout manger !

— Je ne t'ai pas encore expliqué que cette recette se fait en deux temps, expliqua Jojo. D'abord on prépare les légumes. Puis on les goûte. Et ensuite on en refait en même temps que le lapin. D'ailleurs tu devrais goûter aussi pour me donner ton avis. »

Tout en parlant, Jojo se resservit. Il remplit son assiette à ras bord.

« C'est excellent ! dit Frère Ours après avoir mangé une carotte, une pomme de terre et un morceau de chou.

— Ce sera encore meilleur si tu te bouches les oreilles, affirma Jojo.

— Et pourquoi donc ? s'étonna Frère Ours.

— Parce qu'alors tu ne seras pas distrait par les bruits et tu ne penseras qu'à ce que tu manges. »

Frère Ours mangea en se bouchant les oreilles.

« Tu as raison, déclara-t-il, c'est encore meilleur.

— Si maintenant tu fermes aussi les yeux et que tu ne penses qu'à ce que tu as dans la bouche, tu t'apercevras que c'est vraiment succulent », reprit Jojo.

Jojo avait tellement mangé qu'il n'y avait presque plus rien dans la marmite. Il vida ce qui restait dans l'assiette de Frère Ours qui se boucha les oreilles et ferma les yeux avant de déguster ce qu'il avait devant lui.

Aussitôt Jojo se précipita vers une

fenêtre, l'ouvrit et bondit dehors. Puis il courut jusque chez lui. En chemin, il croisa Maître Renard et Compère Loup.

« J'espère que vous n'allez pas dîner chez Frère Ours, leur dit-il.

— Mais si !

— Oh ! quel dommage, vous arrivez trop tard, nous avons déjà tout fini ! »

Et Jojo reprit sa course en riant, tandis que Compère Loup et Maître Renard, fort inquiets, se précipitaient chez Frère Ours. Ils ne tardèrent pas à s'apercevoir que Jojo avait raison. L'odeur du repas était excellente, mais il ne restait rien à manger. Frère Ours ne parvint pas à les convaincre que Jojo Lapin l'avait berné et les deux compères rentrèrent chez eux furieux, bien décidés à se venger.

CHAPITRE V

Les deux seaux de miel

Jojo Lapin rentrait du marché, un grand panier de carottes à son bras, lorsqu'il entendit siffloter.

« Voilà quelqu'un de bien joyeux », pensa-t-il.

Et il aurait continué son chemin sans

y faire plus attention si le siffleur ne s'était mis à chantonner, toujours invisible derrière d'épais buissons.

« Ouh ! là ! là ! murmura Jojo en se bouchant les oreilles, il n'y a que Frère Ours pour chanter aussi faux. »

Il écarta les buissons, glissa un œil prudent et aperçut Frère Ours. Le gros gourmand venait de vider une ruche et rentrait chez lui de fort belle humeur, un seau de miel dans chaque main.

Jojo entendit une voix dans son dos.

« Ce glouton ne tardera pas à engloutir ses provisions. Dès ce soir il ne lui restera pas la moindre goutte de miel ! plaisanta Adélaïde la grenouille en promenade dans l'herbe haute.

— Eh bien, pour une fois il se contentera de l'odeur du miel, déclara Jojo qui se souvenait que Frère Ours avait voulu le faire cuire pour le donner à manger à Maître Renard et à Compère Loup.

— Bravo ! lança la grenouille en disparaissant en direction de son maré-

« Bravo ! » lança la grenouille... →

cage. Ce balourd mérite une leçon. Il a failli m'écraser pas plus tard qu'hier ! »

Jojo, toujours prudent, n'eut aucun mal à suivre l'ours. Frère Ours marchait sans se retourner, n'ayant qu'une idée en tête : manger son miel. Sa seule crainte était de devoir partager avec Maître Renard et Compère Loup, au cas où il les rencontrerait.

Une fois chez lui, l'ours poussa son verrou, ferma ses volets, tira les rideaux et s'attabla devant le premier seau de miel.

« Boum, boum, badaboum, bing, bong. »

L'ours dressa l'oreille. Qui donc s'amusait à lancer des pierres sur son toit ?

« Dzong, bong, clong. »

Cette fois on avait au moins cassé trois tuiles ! Furieux, Frère Ours se leva, ouvrit sa porte en grondant de colère.

Personne.

« Blink, blunk, schlonk. »

Le mauvais plaisant continuait, mais sur l'arrière de la maison cette fois. Frère Ours fit aussitôt le tour par la gauche et Jojo, car c'était lui, fit le tour par la droite.

Jojo vit la porte ouverte, entra, prit les seaux de miel, courut les cacher dans un buisson et revint flâner au milieu du chemin. Le tout en moins de temps qu'il ne faut pour le dire.

Après avoir fouillé les buissons et poussé des cris menaçants, Frère Ours rentra chez lui. Mais dès le pas de la porte, il constata la disparition des seaux de miel.

« Hé là ! hurla-t-il en apercevant Jojo qui jouait toujours les flâneurs innocents, c'est toi qui lançais des pierres sur mon toit pour me voler mon miel ?

— Voyons, Frère Ours, réfléchis un peu. Comment peut-on voler du miel en lançant des pierres ?

— Je sais ce que je dis, bougonna l'ours en colère. Et je vais te...

— Attention ! fit Jojo en reculant de

quelques pas. Si tu m'attaques, je ne te dirai pas qui est ton voleur.

— Jojo, je t'en prie, mon miel, mon cher petit miel ! Dis-moi qui me l'a volé ? supplia Frère Ours.

— C'est Renard ! répondit Jojo. Je l'ai vu sortir de chez toi avec deux seaux de miel et il marmonnait dans sa barbe : "Un pour moi et un pour Compère Loup."

— Le traître ! beugla Frère Ours. L'abominable faux jeton. Je vais de ce pas lui allonger les oreilles. »

Et il partit à la vitesse d'une locomotive emballée.

Dès que l'ours eut disparu au détour du sentier, Jojo Lapin fonça chez le loup. Il le trouva en train de faire la sieste, allongé à l'ombre d'un arbre.

« Comment vas-tu, Compère Loup ? demanda-t-il de sa voix la plus aimable.

— Très bien, je regarde le soleil se coucher et je me demande ce que je vais manger pour dîner. Or je me disais justement qu'un bon lapin... »

Et l'œil du loup se mit à briller tandis qu'un bout de langue rose pointait entre ses dents.

« J'ai beaucoup mieux à te proposer, répondit Jojo en surveillant les moindres gestes du loup. Frère Ours nous invite à manger du miel qu'il vient de récolter.

— Ça alors ! fit le loup éberlué. D'ordinaire il se débrouille toujours pour le manger seul.

— Oui, mais aujourd'hui, c'est mon anniversaire... »

Le loup suivit Jojo sans poser plus de questions. Arrivé devant chez l'ours, le lapin cligna de l'œil et dit :

« Frère Ours a tellement confiance en moi qu'il m'a montré où il a caché son miel.

— Je n'en reviens pas ! » s'exclama Compère Loup.

Jojo alla chercher les deux seaux de miel dans les fourrés où il les avait lui-même cachés. Puis il fit entrer le loup dans la maison de l'ours.

« Assieds-toi et mange ! dit le lapin avec un large sourire. Frère Ours est allé chercher Maître Renard et m'a bien recommandé de ne pas l'attendre. »

Le loup avait très faim. Il ne se fit pas prier et vida un seau en un clin d'œil.

C'est alors que des éclats de voix se firent entendre non loin de là. Jojo dressa ses deux oreilles et ne tarda pas à reconnaître les voix de Frère Ours et de Maître Renard.

« Tiens, s'écria-t-il, voilà nos amis ! Je vais les accueillir. Mange ma part, je n'ai pas faim. »

Le loup, qui avait fini son seau de miel et louchait sur celui de Jojo, s'empressa d'accepter. Quant à Jojo, il prit ses jambes à son cou et alla se cacher derrière un arbre.

Le spectacle ne se fit pas attendre.

Maître Renard avançait en boitant, l'œil droit à demi fermé. Frère Ours tentait de le consoler en disant :

« Tu sais, je regrette de t'avoir frappé aussi fort. Mais j'étais persuadé que tu m'avais volé mon miel.

— Une autre fois, pose les questions avant de frapper ! »

Mais l'ours n'écoutait déjà plus, il venait d'apercevoir le loup, le museau dans un de ses seaux de miel, et l'autre seau vide à ses pieds.

« Cette fois-ci, rugit-il, pas besoin de questions. J'ai la preuve sous les yeux. »

Le loup n'eut pas le temps de comprendre ce qui lui arrivait.

Il eut l'impression de recevoir la maison sur le crâne et partit instantanément au pays des rêves.

L'ours venait de l'assommer d'un formidable coup de patte.

« Tu sais, soupira Maître Renard en levant les yeux au ciel, il ne faut pas toujours se fier aux apparences ! »

Et il alla humecter son mouchoir pour tenter de ramener Compère Loup à lui.

Lorsque Frère Ours comprit qu'il venait d'assommer ses deux meilleurs amis alors qu'ils étaient innocents, il fonça chez Jojo Lapin. Mais ce dernier ne rentra pas dormir chez lui ce soir-là.

CHAPITRE VI

Le confiturier électronique

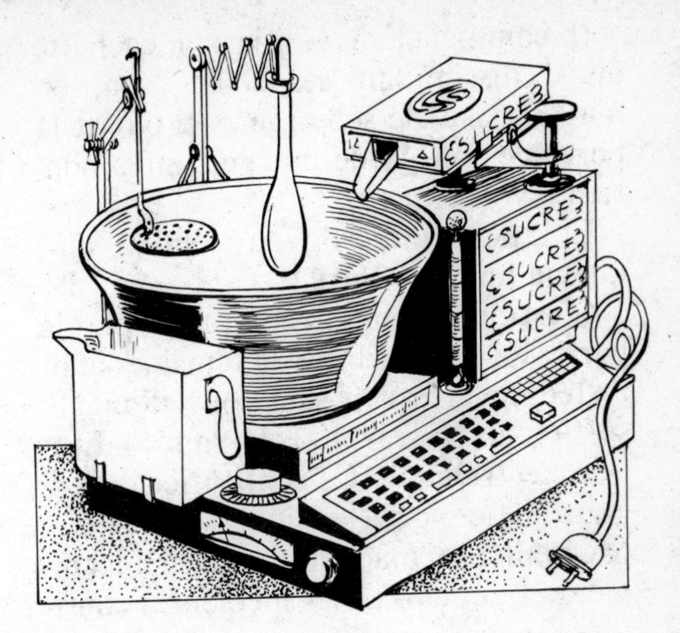

Lorsque Jojo Lapin rentra chez lui, il comprit au premier coup d'œil que quelqu'un s'était introduit dans sa maison en son absence. Chaque objet était certes à sa place mais il planait une drôle d'atmosphère.

Il commença à vérifier la cachette où il dissimulait ses sous. Non, on n'avait pas volé son argent. Il ouvrit la porte de son garde-manger, mais non, rien n'y manquait.

Et pourtant, il en était sûr ; quelqu'un était entré !

C'est alors qu'il remarqua que la porte du placard de la cuisine était restée ouverte. Un seul coup d'œil lui suffit : on lui avait volé son confiturier électronique. Ce confiturier dont il était si fier, qu'il avait payé si cher... Merveilleuse machine achetée récemment et qui cuisait les meilleures confitures, encore meilleures que celles de toutes les grand-mères du monde.

Il suffisait de mettre les fruits, le sucre, de pianoter le nom du fruit sur un petit clavier et, hop, la machine cuisait les confitures juste ce qu'il fallait.

Finies les confitures pas assez cuites qui moisissaient en huit jours ou les trop cuites qui collaient aux dents !

Jojo s'assit sur une chaise, la mine abattue. Puis il fronça le sourcil et se mit à réfléchir. Trois noms lui vinrent aussitôt à l'esprit : Frère Ours, Maître Renard et Compère Loup. Jojo examina avec soin la cuisine. Il espérait trouver une trace de son voleur. Mais il dut interrompre ses recherches car on frappait à sa porte.

C'était Séraphine, la tortue, très émue et hors d'haleine.

« Tu as couru ? demanda Jojo. Je t'ai pourtant mille fois répété que rien ne sert de courir, il suffit de partir à point...

— Ne te moque pas de moi, grogna Séraphine. Il m'arrive un malheur épouvantable.

— Ah oui, fit Jojo, très attentif tout à coup. Et lequel ?

— Compère Loup vient de me voler tous les fruits que j'avais récoltés pour faire mes confitures. Il ne sait pas que je l'ai vu mais hélas ! je ne peux pas me venger toute seule...

— Tiens, tiens, fit Jojo dont l'œil pétilla de malice. Compère Loup fait des confitures... Je ne le savais pas si prévoyant ni si fin cuisinier. Mais à ce propos, j'ai ma petite idée... »

Et le lapin raconta à sa grande amie qu'on venait de lui voler son confiturier. Ils en conclurent que le loup avait probablement déjà mis les fruits de Séraphine dans la magnifique machine de Jojo. Mais le gredin ne l'emporterait pas en paradis, foi de Jojo...

« Pour faire cuire les confitures il faut ajouter du sucre. Et nous allons mettre un laxatif dans son sucre, décida Jojo.

— Un quoi ? demanda Séraphine.

— Un laxatif », répéta Jojo qui se hâta d'expliquer en riant aux éclats : « C'est un médicament pour se purger mais si tu en prends trop, ça te donne la colique... »

Jojo et Séraphine partirent faire le guet non loin de la maison de Compère Loup. Celui-ci ne tarda pas à sortir de

chez lui pour aller s'étendre sous son arbre préféré et y rêvasser.

« Evidemment, grogna Jojo, avec mon confiturier électronique, les confitures, ça ne demande pas beaucoup de travail... Allez, Séraphine, à toi de jouer ! »

La tortue gagna le chemin qui passait devant l'arbre de Compère Loup et fit semblant de se hâter, l'air affolée.

« Compère Loup, Compère Loup ! s'écria-t-elle.

— Oui, fit le loup, méfiant, car il n'avait guère la conscience tranquille.

— Jojo Lapin s'est pris la patte dans un piège non loin d'ici.

— Ah, le pauvre ! dit le loup avec une parfaite hypocrisie. Où donc est-il que j'aille l'aider ?

— A la croisée du chemin ; sous le vieux chêne foudroyé. Va, cours, ne m'attends pas. »

« Certes non, je ne vais pas t'attendre ! pensa le loup. Je n'ai pas besoin de témoin gênant pour manger ce maudit lapin. »

Et il s'en alla à toutes jambes.

La tortue, de son côté, se dépêcha de retourner chez elle tandis que Jojo, d'un bond, entrait chez le loup et versait une poudre blanche dans le doseur de sucre du confiturier.

Deux jours plus tard, le loup invita tous les animaux de la forêt à une grande fête des confitures.

« Venez, leur dit-il. Je vous ferai goûter mes confitures. Je parie que vous n'en avez jamais mangé de si bonnes. »

Or, comme par hasard, il se garda bien d'inviter Jojo Lapin et Séraphine. Au jour et à l'heure dits, les deux amis allèrent se cacher derrière un arbre non loin de chez Compère Loup. Ils virent arriver tous les animaux les uns après les autres. Sire Lion s'assit à la place d'honneur et la fête commença.

Compère Loup, très fier de lui, donna à choisir entre ses différentes confitures. Sire Lion choisit les myrtilles, Biquette et ses filles préférèrent les framboises, Roussotte la vache opta pour les abricots, bref chacun reçut un pot selon ses goûts.

Jojo et Séraphine, un peu nerveux, les regardèrent tous se régaler et attendirent.

Sire Lion, qui avait été le plus glouton, fut le premier à réagir. Il posa une patte sur son ventre, fronça le museau, bredouilla quelques vagues excuses et disparut derrière un buisson.

Jojo et Séraphine se regardèrent en souriant.

Quelques instants plus tard, les filles de Biquette chuchotèrent quelques mots à l'oreille de leur mère qui les entraîna précipitamment loin de l'assemblée.

Jojo et Séraphine pouffèrent de rire.

Biquette avait à peine disparu que Frère Ours se déclara malade : il avait l'impression d'avoir le feu dans le ventre. Et il détala en roulant des yeux effarés.

Jojo et Séraphine sentirent le fou rire les gagner.

Tous les invités les uns après les autres disparaissaient derrière les buissons en se tenant le ventre. Compère Loup, très occupé à servir ses invités, avait mangé en dernier. Aussi fut-il le dernier à être pris de coliques.

Jojo Lapin et Séraphine se tordaient de rire.

« Ce n'est pas tout, dit Jojo en s'essuyant les yeux car il en pleurait à force de rire. Profitons de l'absence de ce nigaud de loup pour aller récupérer mon confiturier.

— Je ne retrouverai pas mes fruits mais je suis bien vengée », conclut Séraphine.

Elle ne croyait pas si bien dire.

Tous les animaux finirent en effet par comprendre qu'ils avaient été pris de coliques après avoir mangé les confitures de Compère Loup. Et ils vinrent lui demander des comptes.

Le loup eut beau affirmer que lui aussi avait été malade, Sire Lion, le plus vexé de tous, déclara qu'il ne s'agissait là que d'une ruse afin d'égarer les soupçons.

Et il le corrigea de main de maître.

CHAPITRE VII

Les pièges du père Gaspard

Après de longues semaines de pluie, le soleil brillait enfin. Jojo Lapin sortit de chez lui et s'engagea sur le chemin. D'excellente humeur, il flâna avant de rentrer manger quelques bonnes carottes.

Tout à coup, Jojo crut entendre des gémissements. Il s'arrêta et pointa l'oreille. Puis il s'avança à petits pas vers un buisson où il découvrit Séraphine. La pauvre tortue semblait bien mal en point.

« Que t'arrive-t-il, Séraphine ? demanda Jojo Lapin.

— Ouh ! là ! là ! ça ne va pas du tout ! soupira-t-elle.

— Tu es malade ? Que se passe-t-il ? insista Jojo.

— Compère Loup m'a frappée, Maître Renard m'a battue et Frère Ours m'a piétinée !

— Ce n'est pas possible ! s'indigna Jojo. Et pourquoi donc ?

— Je marchais sur un sentier étroit. Ces trois brutes m'ont rattrapée. Ils ont trouvé que j'avançais trop lentement, que je les retardais. C'est la raison pour laquelle ils se sont acharnés contre moi. J'ai bien essayé de rentrer chez moi, mais je suis trop épuisée. Je n'y arrive pas. »

Jojo Lapin aida Séraphine à regagner sa maison. Elle se glissa aussitôt dans son lit. Jojo lui prépara une bonne tisane.

« Je te remercie, je me sens déjà beaucoup mieux, dit la tortue.

— On ne peut pas laisser Frère Ours, Maître Renard et Compère Loup abuser de leur force. Je crois que je vais leur donner une bonne leçon, affirma Jojo.

— Que vas-tu faire ?

— Je ne sais pas encore, mais tu peux compter sur moi : ils s'en souviendront. »

Jojo versa une nouvelle tasse de tisane à Séraphine, promit de revenir bientôt la voir et la quitta.

En sortant de chez son amie, Jojo aperçut le loup, le renard et l'ours qui riaient en se tenant les côtes.

« Alors, Jojo, te voilà infirmier ! s'exclama Frère Ours.

— Je me demande si Séraphine s'occupera de toi le jour où je déciderai de te manger pour mon dîner », dit Compère Loup en se léchant les babines.

Jojo Lapin fit prudemment un grand détour pour éviter les trois mauvais plaisants. Il était plus décidé que jamais à leur donner une bonne leçon.

Jojo rencontra ensuite le père Gaspard qui cueillait des champignons avec son fils. Il en avait déjà rempli plusieurs cageots qu'il entassait dans une camionnette.

« Alors, père Gaspard, la cueillette est bonne ?

— Il a beaucoup plu ces derniers temps, surtout hier, il y a donc beaucoup de champignons.

— Mais vous n'allez jamais pouvoir manger tout ça !

— Bien sûr que non. Je vais en ramasser avec mon fils toute la journée et dès demain matin j'irai les vendre au marché », expliqua le père Gaspard.

Jojo, en continuant sa promenade,

passa à proximité de la ferme du père Gaspard. A sa grande surprise il aperçut, entassés dans deux énormes poubelles, des pièges de toutes sortes, à demi mangés par la rouille.

« Tiens, tiens, s'étonna Jojo, le père Gaspard n'a plus de pièges pour protéger ses carottes, ses choux, ses laitues, ses fruits... et ses champignons. C'est vraiment surprenant, il faut que je trouve l'explication de ce mystère. »

Jojo refit, en sens inverse, le chemin qu'il venait de parcourir. Il constata qu'il y avait de plus en plus de cageots de champignons dans la camionnette du père Gaspard.

« Votre potager n'est plus protégé par des pièges ? Vous ne craignez donc plus les voleurs ? » demanda Jojo Lapin.

Pendant un bon moment, Jojo continua à poser des questions mais le père Gaspard prenait un air mystérieux et refusait de répondre. Finalement son fils s'approcha du lapin et lui souffla à l'oreille :

« Papa a acheté de nouveaux pièges, beaucoup plus perfectionnés que les anciens. Mais c'est un secret. Personne ne doit le savoir. »

D'un seul coup le visage de Jojo s'éclaira : il venait d'avoir une idée. Il courut jusque chez Séraphine pour lui annoncer :

« Je sais maintenant comment je vais m'y prendre pour donner une bonne leçon à ces trois brutes.

— Que vas-tu faire ? demanda Séraphine avec curiosité.

— Je te promets que tu seras la première à le savoir. »

Jojo Lapin se mit aussitôt à la recherche de Frère Ours, Compère Loup et Maître Renard. Dès qu'il les aperçut il leur confia à voix basse, comme si toute la forêt les écoutait.

« Je viens d'apprendre quelque chose qui vous intéressera sûrement. Le père Gaspard est en train de cueillir des champignons. Il les vendra demain au marché. Nous avons donc toute la nuit pour les lui prendre.

— Et pourquoi viens-tu nous prévenir ? demanda Frère Ours méfiant. Tu n'as pas l'habitude de partager.

— Simplement parce que le père Gaspard en a ramassé tellement qu'il y en aurait beaucoup trop pour moi tout seul. Si vous ne me croyez pas, vous pouvez vérifier. »

Compère Loup, qui était très rapide, courut jusqu'à la camionnette du père Gaspard. Il revint peu après pour confirmer les paroles de Jojo.

« Tu as dit la vérité, Jojo, mais il y a une chose que tu oublies, affirma Maître Renard. Le père Gaspard est très prudent : son potager, sa maison et son garage sont truffés de pièges.

— Erreur, affirma Jojo. Il vient de s'en débarrasser.

— Cette fois-ci nous ne pouvons vraiment pas te croire ! s'exclama Compère Loup.

— Suivez-moi et vous verrez ! »

Le loup, l'ours et le renard suivirent Jojo jusqu'aux abords de la maison du père Gaspard. Quand ils virent les poubelles remplies de pièges, les trois amis durent reconnaître que Jojo, cette fois encore, disait la vérité.

Ils se donnèrent donc rendez-vous tous les quatre le soir, puis rentrèrent chez eux.

Après dîner, Jojo se rendit chez Séraphine.

« Te sens-tu en état de marcher ? demanda-t-il.

— Je me sens beaucoup mieux, je

crois que je pourrai marcher un petit peu. Pourquoi ?

— Si tu m'accompagnes, tu verras comment seront punis ceux qui ont osé te faire du mal. »

Très curieuse de voir ce qui allait se passer, Séraphine suivit Jojo en boitillant. Ils arrivèrent bientôt tous les deux en vue de la maison du père Gaspard. Il faisait nuit noire.

« Nous allons nous cacher ici et attendre », expliqua Jojo en se glissant derrière un buisson touffu.

Peu après, Compère Loup, Frère Ours et Maître Renard arrivèrent à leur tour devant la porte du jardin du père Gaspard.

« Jojo n'est pas là, murmura Frère Ours.

— Tant mieux, nous n'aurons pas à partager avec lui, affirma Compère Loup.

— De toute façon, j'avais plutôt l'intention de le faire cuire avec les champignons ! » ajouta Maître Renard.

Les trois larrons pénétrèrent alors dans le jardin du père Gaspard. En silence, ils se dirigèrent vers le garage où était garée la camionnette pleine de champignons.

Tout à coup, le mugissement d'une sirène retentit. Un bruit horrible à vous glacer le sang dans les veines ! De puissants projecteurs s'allumèrent et trois mains métalliques sorties du sol agrippèrent les trois intrus.

« A moi ! A l'aide ! Au secours ! » se mirent à hurler l'ours, le loup et le renard.

« Bravo Jojo, tu es très fort ! s'exclama Séraphine en applaudissant.

— Attends. Je crois que nous n'avons pas encore tout vu », affirma Jojo en souriant.

En effet, le père Gaspard ne tarda pas à faire irruption dans le garage. Il avait un gros gourdin à la main et donna une bonne raclée à Frère Ours, Maître Renard et Compère Loup.

« Que cela vous serve de leçon ! Et à

« A moi ! A l'aide ! Au secours ! » →

l'avenir abandonnez l'idée de venir me voler ! » dit-il. Puis il libéra les trois prisonniers en bien piteux état.

L'ours, le loup et le renard rentrèrent chez eux en pleurnichant. Ils restèrent au lit pendant huit jours avec d'énormes pansements. Jojo Lapin, pendant quelque temps, évita soigneusement de les rencontrer.

CHAPITRE VIII

Les fantômes attaquent

Jojo avait invité ses deux cousins à venir passer quelques jours dans sa maison. Les trois lapins s'amusaient toute la journée et se préparaient de bons repas.

Sans le faire exprès, ils réveillèrent

par leurs rires Doudou le hibou qui dormait sur une branche. Il ne put fermer l'œil de la journée et, à la nuit tombée, partit en chasse de fort mauvaise humeur.

En chemin, il rencontra Frère Ours qui rentrait se coucher et bâillait à s'en décrocher la mâchoire.

« Tu as l'air bien renfrogné, mon cher Doudou ! dit-il. Quelle idée aussi de dormir le jour et de chasser la nuit !

— Je ne me moque pas de ton goût immodéré pour le miel, pesta le hibou. Alors laisse-moi tranquille.

— Comme tu voudras, dit l'ours en commençant à s'éloigner.

— Dis donc, lança tout à coup Doudou en le rattrapant, il me semble que tu n'aimes guère Jojo Lapin.

— C'est vrai, reconnut Frère Ours. Ce lapin est un vilain petit prétentieux.

— Eh bien, moi aussi, j'ai à me plaindre de lui, dit le hibou. Figure-toi que lui et sa maudite famille m'ont empêché de dormir toute la journée.

Je compte bien prendre ma revanche. Veux-tu m'aider ?

— D'accord, fit l'ours. Mais comment ?

— J'ai une idée. Les lapins sont superstitieux...

— Superstiquoi ? coupa l'ours.

— Superstitieux. Ils croient à la magie, aux fantômes, aux lutins, aux esprits farceurs. Nous allons donc nous déguiser en fantômes, nous leur flanquerons une peur bleue et nous leur prendrons leur dîner.

— Excellente idée, approuva l'ours. Je viens d'aller manger chez Maître Renard. Ce grigou m'a à peine servi de quoi nourrir un ourson et j'ai encore très faim. »

L'ours et le hibou se hâtèrent d'aller chercher deux draps et deux lampes électriques.

Les deux cousins de Jojo Lapin étaient assis à table, deux grandes serviettes nouées autour du cou. Une agréable odeur de chou et de carotte emplissait la pièce. Jojo apporta la marmite et la posa sur la table. Puis il souleva le couvercle. L'odeur devint encore plus forte.

C'est alors qu'un ululement à vous glacer le sang dans les veines retentit dans la forêt.

Les trois lapins dressèrent les oreilles et se tournèrent vers la fenêtre. Quelques rayons de lune filtraient à travers les branches des arbres.

« UUUUUUUUUUUUUUUUUUUU-OOOOOOOOOOOOOOOOOOOUUU-UUUUUUUUUUUUU ! »

Le ululement reprit, plus proche cette fois.

« Quel est cet animal ? demanda l'un des cousins dont la pointe des oreilles tremblait.

— Je n'ai encore jamais entendu cri pareil », répondit Jojo en fronçant un sourcil.

Il voulut se diriger vers la fenêtre pour jeter un coup d'œil à l'extérieur, mais ses deux cousins l'en empêchèrent.

« Et si c'était un fantôme ? » s'écria le plus peureux des deux.

C'est alors que la chose apparut à la fenêtre. Toute blanche et lumineuse, avec deux taches noires à la place des yeux. Le cri reprit, encore plus lamentable qu'auparavant.

Jojo lui-même ne put s'empêcher de frémir, d'autant qu'un violent coup de poing venait d'ébranler la porte.

« Ils sont plusieurs ! Ils vont nous manger ! s'écrièrent les deux cousins de Jojo en courant s'enfermer dans un placard.

— Je ne savais pas que les fantômes avaient de l'appétit ! » plaisanta Jojo pour se donner du courage.

Il s'approcha de la fenêtre. Le fantôme recula.

Jojo s'enhardit et ouvrit la fenêtre.

Le fantôme recula encore. C'est alors qu'un second fantôme, beaucoup plus gros que le premier, apparut sur la droite.

« Voilà celui qui a frappé à la porte », supposa Jojo.

Et, tout à coup, le fantôme se heurta à un arbre et poussa un cri de douleur.

« Tiens, tiens, se dit Jojo, des fantômes qui se cognent, c'est nouveau. Et ce cri de douleur ressemble fort à un grognement de Frère Ours. Oh, mais ça me donne une idée... »

Vite il alla chercher ses cousins toujours enfermés à demi morts de peur dans le placard et leur expliqua qu'il n'y avait rien à craindre s'ils faisaient très exactement ce qu'il allait leur dire. Et il leur chuchota son plan.

Cinq minutes plus tard, les trois lapins jaillissaient de la maison comme s'ils avaient eu le diable aux trousses. Ils s'enfoncèrent dans la forêt en hurlant :

« Au secours, des fantômes... sauve qui peut ! »

Frère Ours et Doudou se débarrassèrent de leur déguisement : un grand drap et une lampe de poche.

« Nous les avons bien eus ! A nous le dîner de ces trois peureux. Viens donc », dit le hibou.

Et les deux compères s'attablèrent.

Mais ils ne s'aperçurent pas que Jojo était revenu sans faire de bruit pour vérifier l'identité des prétendus fantômes. Lorsqu'il eut constaté qu'il s'agissait bien de Frère Ours et de Doudou, il courut rejoindre ses cousins.

L'ours rentra chez lui le ventre rebondi. Il poussa la porte d'un grand coup de patte et jeta un coup d'œil circulaire. Tout à coup ses yeux s'agrandirent. Il crut se trouver mal. Tous ses seaux de miel, soigneusement rangés sur une étagère, avaient disparu. Puis il aperçut une inscription au feutre rouge sur le mur :

« *Dîner volé ne profite jamais... Jojo.* »

L'ours s'assit sur une chaise et se lamenta très fort une bonne partie de la nuit. A l'aube, Doudou vint le rejoindre, l'air tout affolé.

« Frère Ours, Frère Ours !

— Quoi, grogna l'ours d'une voix lugubre.

— On m'a volé le contenu de mon réfrigérateur. Toutes mes provisions ont disparu.

— Ah oui, fit l'ours, et alors ?

— Et alors ? Mais il faut absolument punir...

— Jojo, peut-être ? gronda l'ours en se levant. Car c'est lui, figure-toi, qui s'est vengé. Et nous pourrions peut-être nous déguiser en fantômes, histoire de lui faire peur ? Car tu as de bonnes idées, n'est-ce pas ? »

L'ours était si menaçant que le hibou préféra s'envoler sans demander son reste. Et toute la semaine suivante, il évita Frère Ours avec soin.

Quant à Jojo et à ses cousins, ils eurent bien du mal à s'endormir tellement ils riaient, après avoir mangé le miel de l'ours et les provisions du hibou.

CHAPITRE IX

La sorbetière de Jojo Lapin

Séraphine ne tarissait pas d'éloges :

« Ce sorbet à la fraise est délicieux ! Jojo Lapin est un as !

— Tu as raison, approuva Adélaïde, en se léchant les babines. Le sorbet à l'ananas que j'ai mangé hier était un vrai régal. »

La tortue et la grenouille n'étaient pas les seules à apprécier la nouvelle spécialité de Jojo Lapin. Depuis qu'il s'était fait livrer une magnifique sorbetière électrique, il passait ses journées à faire des sorbets à tous les parfums possibles et imaginables : citron, poire, mangue, fruit de la passion, groseille, mûre, melon, abricot, banane et bien d'autres encore. Jojo donnait généreusement ses sorbets à Benjamin le bélier, Mimi Vison, Azor le chien et tous les animaux de la forêt.

Seuls Maître Renard, Compère Loup et Frère Ours n'y avaient pas eu droit. A vrai dire, Jojo n'avait jamais refusé de leur en donner. Mais à chaque fois que l'un d'entre eux en demandait, le lapin répondait que c'était trop tôt ou que c'était trop tard. Bref ce n'était jamais le bon moment.

Le loup, l'ours et le renard, après avoir entendu vanter la dernière création de Jojo, un succulent sorbet à la framboise, entrèrent dans une violente colère.

« Je commence à me demander si Jojo ne se fiche pas de nous, dit gravement Frère Ours.

— Il nous renvoie toujours à plus tard. J'aimerais bien savoir quand nous finirons par goûter ses sorbets, grogna Compère Loup.

— J'ai dans l'idée que ce moment n'arrivera jamais ! » affirma Maître Renard.

Les trois compères, très vexés, furent bien obligés d'admettre que Jojo se moquait d'eux. Ils décidèrent que la situation avait assez duré et Maître Renard fut chargé de trouver une vengeance.

Le lendemain, après une nuit blanche passée à réfléchir, Maître Renard annonça :

« Je sais ce qu'on va faire, puisque Jojo refuse de nous donner des sorbets, nous allons lui prendre sa sorbetière et nous en ferons nous-mêmes.

— Excellente idée », approuvèrent Frère Ours et Compère Loup.

Ils décidèrent de se préparer un bon dîner dont le dessert serait un sorbet préparé avec l'appareil de Jojo. Maître Renard fut chargé de se le procurer.

Mais les trois gredins étaient tellement en colère qu'ils en avaient oublié de parler tout bas.

Séraphine les entendit et courut avertir Jojo.

« Je viens d'entendre Compère Loup, Maître Renard et Frère Ours, dit Séraphine tout essoufflée. Ils ont décidé de te voler ta sorbetière. »

Au lieu de s'indigner ou de s'attrister, comme s'y attendait son amie, Jojo éclata de rire.

« Depuis le temps qu'ils veulent goûter mes sorbets, déclara-t-il, je m'attendais bien à un mauvais coup de leur part. »

Séraphine était bien ennuyée. Jojo n'avait pas l'air de prendre cette affaire au sérieux.

« Mais enfin, Jojo, tu ne peux pas te laisser voler sans réagir ! protesta Séraphine. Sinon, finis les sorbets !

— Ne t'inquiète pas. Compte sur moi pour donner une bonne leçon à ces trois voleurs ! »

Séraphine aurait bien aimé savoir ce que Jojo avait derrière la tête, mais il refusa de lui dévoiler ses plans. Il raccompagna son amie à la porte avant de s'enfermer dans son grenier.

Jojo se mit à travailler avec beaucoup d'énergie. Il soudait, collait, vissait, clouait et assemblait sans perdre une seconde. Et l'étrange machine qu'il construisit ressemblait à s'y méprendre à une sorbetière.

Il sortit alors la vraie sorbetière de sa boîte et la cacha derrière un tas de vieilles couvertures. Puis il mit à sa place la machine de sa fabrication et il posa la boîte, bien en vue, au milieu de la table de la cuisine. Cela fait, il sortit de chez lui, ne ferma pas la porte à clé et se cacha dans les buissons.

Il n'eut pas longtemps à attendre avant d'apercevoir Maître Renard qui avançait en prenant bien soin de ne pas faire de bruit.

Le renard fit le tour de la maison en regardant par toutes les fenêtres. Voyant qu'il n'y avait personne, il s'approcha de la porte et fut tout surpris de l'ouvrir sans difficulté.

« Cet imbécile de Jojo est parti sans fermer sa maison, pensa Maître Renard. Tant mieux après tout, sinon j'aurais dû enfoncer la porte... ce qui aurait été très fatigant. »

Le renard se dirigea droit vers la cuisine. Quand il aperçut le carton de la sorbetière électrique au milieu de la table, il n'en crut pas ses yeux.

« Décidément, pensa-t-il, ce Jojo est le plus grand de tous les imbéciles. Non seulement il ne ferme pas sa porte, mais en plus il n'a même pas l'idée de cacher sa sorbetière. »

Maître Renard s'empara de la boîte, ressortit de la maison et s'éloigna discrètement.

Jojo Lapin rentra chez lui, ouvrit son armoire à pharmacie et en sortit un sac de coton. Il s'en mit une grande quantité dans chaque oreille, le tassa de toutes ses forces et sortit en courant.

Séraphine aperçut Jojo et lui cria :

« Où cours-tu comme ça si vite ? »

Mais avec tout le coton qu'il avait dans les oreilles, Jojo n'entendait rien du tout. Bientôt il arriva près de la maison de Maître Renard. Il se glissa sous une fenêtre et jeta un coup d'œil à l'intérieur.

Les trois gredins achevaient de préparer leur dîner. Compère Loup surveillait la cuisson du rôti. Frère Ours préparait une magnifique purée. Quant à Maître Renard, il s'occupait de la salade.

Jojo Lapin, toujours derrière la fenêtre, surveillait les moindres gestes de ses ennemis.

« Il est grand temps de préparer le dessert, déclara Maître Renard.

— Faisons un sorbet à la pêche, proposa le loup.

— Non, un sorbet au melon, suggéra l'ours.

— Un sorbet à la prune serait bien meilleur », dit le renard.

A cause de tout le coton qu'il avait dans les oreilles, Jojo n'entendait toujours rien, mais il voyait bien que les trois amis se disputaient. Après une longue discussion, ils décidèrent de faire un sorbet pêche-melon-prune.

Maître Renard sortit l'appareil de sa boîte. Il y plaça les fruits puis brancha la prise électrique.

« BRRRRRRRRRRROUIIIIIIIII-IIIIIIIIIIIIIIIIIIIIIING. »

Dès que la prise fut branchée, un bruit épouvantable se fit entendre. Le renard, l'ours et le loup ressentirent d'horribles vibrations dans tout leur corps et restèrent figés sur place, paralysés par ce bruit atroce.

Jojo, lui, était parfaitement à l'aise. Mais il constata que son paralysateur fonctionnait à merveille. Ses trois ennemis n'arrivaient même pas à tendre la patte pour arrêter la machine. Le lapin pénétra dans la maison, prit le rôti, la purée et la salade, puis rentra chez lui sans se presser. Il avait programmé sa machine pour fonctionner pendant une heure et ne craignait donc pas d'être poursuivi. Le soir même il prépara un sorbet à l'abricot et invita Séraphine et Adélaïde à partager son excellent dîner.

« Maître Renard ne t'a donc pas volé ta sorbetière ? s'étonna Séraphine.

— J'ai l'impression qu'il a dû changer d'avis. Je crois que finalement il a préféré nous préparer toutes ces bonnes choses. »

Et Jojo éclata de rire.

Quant aux trois gredins, la machine infernale de Jojo les dégoûta complètement des sorbets.

CHAPITRE X

La rivière empoisonnée

Jojo Lapin achevait sa toilette et se lavait les oreilles lorsqu'on frappa au carreau. Le bruit était si faible qu'il n'y prêta tout d'abord pas attention. Finalement il tourna la tête.

C'est alors qu'il aperçut sur le

rebord de la fenêtre Adélaïde la grenouille qui tentait désespérément d'attirer son attention.

« Que se passe-t-il ? demanda Jojo en ouvrant la fenêtre toute grande.

— Des choses horribles ! s'exclama la grenouille en roulant des yeux effarés. Le loup vient de capturer Séraphine.

— Mais il ne va tout de même pas la manger ? s'étonna Jojo. Il se casserait les dents sur sa carapace !

— Si, si, insista la grenouille. Il va bel et bien la manger. Je l'ai entendu raconter que le bouillon de tortue est excellent. Il prétend que c'est un merveilleux remède contre les rhumatismes et que ça fait vivre vieux.

— Quelles fadaises !

— Peut-être, dit Adélaïde, mais il faut absolument se dépêcher si nous voulons sauver Séraphine. Et ce n'est pas par la force que nous viendrons à bout de cet imbécile de loup !

— Nous sommes peut-être les moins

forts mais certainement pas les moins rusés. Laisse-moi réfléchir ! »

Il courut chercher un petit flacon dans sa pharmacie et lança à la grenouille :

« Je me charge de tout, tu n'as pas à t'inquiéter. Tu peux aller attendre Séraphine chez elle. »

Puis, sans donner la moindre explication, Jojo se mit à courir, ventre à terre, en direction de chez Maître Renard.

Comme il s'y attendait, Renard faisait la sieste. Il dormait profondément et rêvait à un festin de roi. Il se voyait assis au milieu d'un poulailler. Et, chose curieuse, le père Gaspard lui demandait par laquelle de ses volailles il voulait commencer. Les hurlements de Jojo le tirèrent de son rêve et, en se retournant brusquement, il se cogna la tête à l'un des montants de son lit. Aussi est-ce de très mauvaise humeur qu'il entrebâilla sa porte pour grogner :

« Qu'as-tu donc, lapin de malheur, à couiner de la sorte ?

— La source des Fontenelles est empoisonnée.

— Quoi ?

— Oui, oui, elle a été polluée par accident et quiconque a bu de cette eau mourra d'ici ce soir dans d'horribles souffrances.

— Et alors ? grogna Renard. Je n'ai pas bu de cette eau. Je ne risque rien. Laisse-moi me rendormir. Pourvu que mon rêve recommence là où il s'était arrêté ! »

Il allait refermer sa porte lorsque Jojo lui lança :

« Toi, tu ne risques peut-être rien, mais Compère Loup va mourir à coup sûr. Je l'ai vu ce matin boire de cette eau.

— Tu me sembles bien attentionné envers Compère Loup, dit Renard méfiant. Je ne savais pas que tu le portais dans ton cœur. Il a pourtant essayé plus d'une fois de te manger.

— Toi aussi, tu as essayé de me manger ! répondit Jojo. Et pourtant je suis venu te prévenir que l'eau était empoisonnée. Je me venge toujours lorsqu'on me joue un mauvais tour mais je ne suis pas rancunier.

— C'est vrai, reconnut le renard. Que proposes-tu ?

— Il n'y a qu'une solution : appliquer un traitement de choc à Compère Loup.

— Lequel ?

— J'ai un remède contre les poisons qui fait vomir tout de suite.

— Eh bien, courons jusque chez lui ! »

Jojo Lapin avait bien du mal à ne pas rire. En chemin, ils rencontrèrent Frère Ours qui cherchait du miel et qui leur demanda pourquoi ils étaient si pressés.

Ils le lui expliquèrent et Frère Ours déclara aussitôt :

« Je vous accompagne et si ce vomitif ne suffit pas, je lui mettrai la patte dans le gosier et nous le secouerons par les pieds. »

Jojo Lapin eut toutes les peines du monde à garder son sérieux.

Arrivés chez Compère Loup, ils le trouvèrent en train de faire chauffer de l'eau. Jojo jeta un bref coup d'œil dans la pièce et aperçut Séraphine que le loup avait posée sur une très haute étagère, presque au ras du plafond, afin qu'elle ne puisse pas s'enfuir.

« Compère Loup, tu vas mourir ! » lança Frère Ours d'une voix de stentor.

Le loup se mit à trembler comme une feuille.

« Quoi ? Hein ? Vous êtes devenus fous ?

— Non, expliqua le renard, tu as bu de l'eau empoisonnée. Vite, il faut que tu prennes ce médicament. »

Compère Loup, qui s'était laissé choir sur une chaise, ouvrit docilement la gueule. Maître Renard s'empara du flacon que lui tendit Jojo et en versa le contenu dans la gorge de son ami.

Trois minutes plus tard, le loup parut verdir. Il voulut se lever mais

« Vite, il faut que tu prennes ce médicament. » →

SOUPE
DE
TORTUE

retomba sur sa chaise. Toutefois, dans un ultime effort, il parvint à sortir de chez lui et alla vomir au pied d'un arbre.

Maître Renard et Frère Ours, le voyant bien mal en point, voulurent aller le soutenir, mais la vue de leur ami malade leur donna la nausée à leur tour, et ils imitèrent le loup.

Pendant ce temps Jojo Lapin tirait une table sous l'étagère. Puis il posa une chaise sur la table et monta libérer Séraphine.

La tortue le remercia avec effusion et lui demanda d'aller la déposer un peu plus loin. Elle avait peur d'être poursuivie.

« Oh ! je pense que tu ne risques pas grand-chose ! » dit Jojo en jetant un coup d'œil aux trois gredins dont l'état ne s'améliorait guère.

Cependant, pour la rassurer, il alla déposer son amie à une bonne centaine de mètres de la maison de Compère Loup.

Puis il revint assister à la suite des événements.

Maître Renard et Frère Ours, un peu remis, avaient réussi à traîner le loup chez lui et l'avaient couché dans son lit. Grelottant sous sa couette, Compère Loup avait l'air bien misérable.

« J'ai horriblement mal au ventre, soupira-t-il. Peut-être vais-je mourir.

— Ça dépend de la quantité d'eau que tu as bue, expliqua Jojo.

— J'avais très soif ce matin. J'en ai bu beaucoup.

— Peut-être faut-il vomir encore, proposa Frère Ours.

— Non, hurla le loup en rassemblant ses forces. C'est alors que je mourrais pour de bon.

— Quand saurons-nous s'il est sauvé ? demanda Maître Renard.

— A mon avis, pas avant une semaine, affirma Jojo. Et il risque d'avoir encore mal au ventre pendant un mois.

— Oh non ! » s'exclama Compère Loup qui paraissait sur le point de fondre en larmes.

En levant les yeux il regarda par hasard l'étagère où il avait posé Séraphine.

« La tortue, s'écria-t-il, où est la tortue ? Elle n'a pas pu se sauver toute seule !

— Non, déclara Jojo, c'est moi qui l'ai aidée à partir... Mais, tu sais, le bouillon de tortue, c'est très mauvais pour ce que tu as... »

Jojo entama un mouvement de retraite prudent en direction de la porte, salua et disparut.

Bien lui en prit, car Compère Loup avait beau être mal en point, la lumière se fit dans son esprit. Cette histoire d'eau polluée et de vomitif n'était-elle pas un coup monté par ce diabolique lapin pour libérer Séraphine ?

Le temps qu'il comprenne et qu'il explique à ses deux amis, Jojo était déjà loin. Et puis ni lui ni les deux autres n'étaient en état de le poursuivre.

CHAPITRE XI

Les discours de Sire Lion

Maître Renard bâilla pour la trentième fois. Il jeta un coup d'œil à ses deux amis, Frère Ours et Compère Loup. Eux aussi avaient l'air de s'ennuyer mortellement.

Mais aussi, quelle manie avait Sire

Lion de convoquer tous les animaux de la forêt pour leur tenir d'interminables discours :

« Mon règne restera dans toutes les mémoires comme le plus beau règne de tous les temps pour au moins cent trente-deux raisons », dit le lion.

Et, à la consternation générale, il se mit à énumérer les cent trente-deux raisons.

Cousin Chat Sauvage regarda Benjamin le bélier en hochant la tête. Hélas ! il n'y avait rien d'autre à faire que d'attendre la fin du discours de Sire Lion. Lulu le faucon, Azor le chien, Séraphine, Adélaïde, Mimi Vison, la vache Roussotte, le rhinocéros Gros Patapon et tous les autres animaux étaient consternés par cette nouvelle lubie de Sire Lion. Mais aucun d'entre eux n'aurait osé ne pas venir l'écouter.

Aucun, sauf Jojo Lapin.

Jojo avait assisté au premier discours. L'expérience lui avait suffi. Jamais il n'était revenu.

Plusieurs fois, Séraphine l'avait prévenu :

« Sire Lion tient absolument à ce que tout le monde assiste à ses discours.

— Si je retourne écouter ce vieux fou, j'en mourrai d'ennui. Et ça, il n'en est pas question.

— Sire Lion a sûrement remarqué ton absence. Tu vas avoir de gros ennuis ! »

Mais Jojo ne tenait aucun compte des avertissements de Séraphine.

Ce jour-là, après avoir parlé pendant des heures, le lion termina en disant :

« J'ai remarqué qu'un de mes sujets néglige de venir m'écouter. Pour ce crime de lèse-majesté, je vais être obligé de le faire passer en jugement. »

Un frisson de frayeur parcourut l'assemblée. Les amis de Jojo étaient consternés. Ses ennemis, au contraire, se réjouissaient.

Quant au lion il avait déjà décidé de l'issue du jugement : Jojo serait condamné à être mangé par Sire Lion en personne.

Séraphine se précipita chez son ami.

« Je t'avais prévenu, lui dit-elle, Sire Lion est furieux. Il va juger un de ses sujets. Il n'a pas dit lequel, mais tout le monde sait que c'est toi.

— Et je sais aussi qu'il décidera de me manger, déclara Jojo pas effrayé pour deux sous.

— C'est affreux ! s'exclama Séraphine. Tu devrais aller te cacher.

— Et pourquoi donc ? Sire Lion ne me fait pas peur ! »

Séraphine tenta de raisonner Jojo. En vain. Elle finit par rentrer chez elle en se disant que son ami avait perdu la tête.

Le lendemain, après un nouvel interminable discours, Sire Lion fit savoir à tous les animaux que Jojo Lapin était convoqué pour passer en jugement.

Le lion était persuadé qu'en apprenant la nouvelle Jojo se présenterait aussitôt devant lui en tremblant de tous ses membres.

« Si tu n'y vas pas, Sire Lion sera furieux et son jugement sera encore plus terrible, prévint Séraphine.

— Qu'il me mange en colère ou de bonne humeur, répondit Jojo, je ne vois pas ce que ça changera pour moi. »

Malgré les avertissements de Séraphine, Jojo continua à planter des carottes dans son jardin et à repeindre ses volets. Bref, il s'occupait de ses affaires sans avoir l'air le moins du monde inquiet.

Quand Sire Lion constata que Jojo ne se présentait pas devant lui, il entra dans une violente colère. Puis il se lança à sa recherche en rugissant de rage. Persuadé que le lapin terrorisé se cachait au fin fond de la forêt, il en explora les coins les plus obscurs et les zones les plus difficiles d'accès.

Cette quête l'avait épuisé et rendu d'une humeur massacrante. En rentrant chez lui bredouille, il passa devant la maison de Jojo et y entendit du bruit. Sire Lion n'en croyait pas ses oreilles. Ce maudit lapin ne s'était donc pas caché. Il s'approcha, frappa à la porte et Jojo en personne vint lui ouvrir, un grand sourire aux lèvres.

« Tiens, bonjour, Sire Lion, quel bon vent t'amène ?

— Tu te fiches de moi, Jojo ! Tu ne sais donc pas que j'ai décidé de te juger ?

— Si, si, on m'a dit ça.

— Et alors, rugit le lion, qu'attends-tu pour te présenter devant moi ?

— Oh, je ne savais pas que c'était si pressé, mais je suis prêt à t'accompagner. Laisse-moi finir ce que je suis en train de faire.

— Il n'en est pas question ! Suis-moi immédiatement !

— Comme tu voudras, Sire Lion. Pourtant je te préparais un bon gâteau.

— Ah ! dans ce cas, c'est différent. Finis d'abord ton gâteau et puis tu m'accompagneras ! »

En rentrant dans la maison de Jojo, Sire Lion était tellement en colère qu'il ne s'était pas rendu compte de l'excellente odeur qui sortait de la cuisine. Maintenant il se léchait les babines. Non seulement il allait manger un bon lapin, mais aussi un excellent gâteau.

Les rugissements du lion avaient attiré Séraphine qui entra toute tremblante chez son ami.

« Jojo n'est pas méchant, dit-elle au lion. Tu devrais avoir pitié de lui.

— De quoi te mêles-tu, Séraphine ? tonna Sire Lion. Mes jugements sont toujours équitables et tu ferais mieux de te taire si tu ne veux pas t'attirer des ennuis.

— Ça, c'est bien vrai, les jugements de Sire Lion sont toujours équitables, dit Jojo d'une voix un peu railleuse. Trèèès équitables ! »

Séraphine ouvrait de grands yeux étonnés. Non seulement Jojo n'avait pas peur, mais en plus il confectionnait très tranquillement un grand gâteau. Il n'y avait désormais plus de doute possible, Jojo était bel et bien devenu fou.

La cuisson avançait. L'odeur était de plus en plus agréable et Sire Lion se régalait à l'avance. Finalement Jojo sortit un magnifique gâteau du four. Il le saupoudra de poudre blanche.

« Qu'est-ce que c'est que cette poudre blanche ? demanda Séraphine qui ne comprenait rien au comportement de son ami.

— Chut ! » fit Jojo en mettant une patte devant sa bouche.

Et il ajouta tout bas à l'oreille de son amie :

« C'est un somnifère.

— C'est quoi un somnifère ?

— Je t'expliquerai. »

En voyant le gâteau terminé, Sire Lion ne put résister à l'envie de le manger sans attendre. Il se jeta dessus et l'engloutit en deux bouchées.

« Bravo, Jojo, je te félicite, tu es un excellent cuisinier. Bon, maintenant il est temps de se mettre en route. Suis-moi.

— D'accord », dit Jojo.

Sire Lion et Jojo Lapin sortirent de la maison et s'éloignèrent. Séraphine était toute triste en se disant qu'elle voyait sans doute Jojo pour la dernière fois. Elle ne put contenir son émotion et de grosses larmes roulèrent sur ses joues.

« Je suppose que le jugement sera vite rendu, dit Jojo tout en marchant.

— Ne t'inquiète pas. Le procès ne va pas durer, s'écria Sire Lion avec un sourire ambigu.

— Si demain je ne suis toujours pas jugé, je serai libre, déclara Jojo. Jure-le.

— Je te le jure, dit le lion. Tu seras jugé avant que la nuit tombe ou tu ne le seras pas ! »

Bientôt le lion se mit à bâiller et à marcher avec difficulté. A peine arrivé chez lui, au lieu de convoquer les animaux de la forêt pour le jugement de Jojo, il tomba comme une masse et se mit à ronfler.

Jojo fouilla aussitôt dans les provisions du lion et il emporta deux paniers pleins de fruits et de légumes.

En rentrant chez lui, il croisa Séraphine, stupéfaite de le revoir vivant.

« Sire Lion t'a laissé repartir ?

— Bien sûr ! Il est généreux, dit Jojo en montrant le contenu de ses deux paniers.

— A propos, c'est quoi un somnifère ?

— C'est un médicament qui fait dormir. »

Et Jojo, laissant là Séraphine éberluée, rentra chez lui en riant.

Quant à Sire Lion, il dormit trois jours durant. Ses discours finirent par l'ennuyer à son tour, tant et si bien qu'il cessa d'en faire.

CHAPITRE XII

La soupe des sorciers

La journée avait été chaude et Jojo appréciait la fraîcheur de la nuit. Après avoir dîné chez Adélaïde la grenouille, il rentrait chez lui par le chemin des écoliers.

Il allait dépasser la ferme du père

Gaspard lorsqu'il entendit une voix grommeler dans la pénombre :

« Si jamais ce maudit voleur revient cette nuit, je lui plombe les fesses ! »

Jojo avait aussitôt dressé l'oreille et reconnu la voix du père Gaspard.

« Tiens, tiens, se dit-il, ce vieux grincheux s'est mis en embuscade avec son fusil. »

L'envie de lui jouer un tour lui traversa l'esprit, mais il préféra rentrer se coucher sans risquer les coups de fusil. Aussi s'enfonça-t-il dans la forêt obscure.

Il marchait depuis quelques minutes lorsque le sol se déroba sous lui. Jojo poussa un cri et tomba dans un grand trou.

Avant qu'il ait eu le temps de comprendre ce qui se passait, une ombre se rua sur lui, l'attrapa par les oreilles et le glissa au fond d'un grand sac.

Jojo essaya de gigoter, puis de ronger la toile, mais son agresseur donna un grand coup sur le sac en grognant :

« Si tu continues à bouger, je t'assomme ! »

A la voix, Jojo reconnut Compère Loup. Et aussitôt il commença à réfléchir à la meilleure façon de s'échapper.

Un peu plus tard, le loup arriva chez lui et prit bien soin de fermer sa porte avant d'ouvrir le sac.

Vite, il sortit Jojo et lui expliqua d'un air sournois :

« Je suis vraiment désolé, mais ce n'est pas ma faute si c'est toi qui es tombé dans le piège. Ah ! décidément, les hasards de l'existence...

— Tais-toi, grommela Jojo. Tu n'es qu'un faux jeton. Si ça te fend le cœur de me voir terminer dans ta marmite, tu n'as qu'à me laisser partir.

— Ah ! comme je le voudrais, gémit le loup. Mais j'ai promis à mes amis de leur préparer un pâté de lapin. Ah ! là ! là ! quel dommage que tu sois tombé dans ce piège ! Et dire qu'il y a tant de lapins dans cette forêt !

— Tu veux préparer un pâté ? s'écria Jojo. Cette nuit ?

— Oui. Et alors ? s'étonna le loup.

— Tu es le loup le plus fou que la terre ait jamais porté, affirma Jojo en levant les yeux au ciel.

— Et pourquoi donc ? fit le loup à la fois vexé et curieux.

— Parce qu'il ne faut jamais préparer un pâté une nuit de pleine lune. Ça le gâterait. Tout le monde le sait et je m'étonne que tu n'en tiennes pas compte. »

Le loup se précipita à la fenêtre et jeta un coup d'œil à l'extérieur.

De fait la lune venait de se lever et éclairait la forêt. Son disque tout rond attestait à n'en pas douter qu'il s'agissait d'une nuit de pleine lune. Compère Loup soupira tandis que dans son dos le sourire ironique de Jojo s'accentuait.

Le loup était si déçu qu'il ne pensa même pas à garder Jojo prisonnier en attendant la lune décroissante.

« Ecoute, déclara Jojo bien décidé à se venger. Je vais te révéler un secret pour te dédommager.

— Lequel ? fit le loup intéressé.

— La recette de la soupe des sorciers. C'est une soupe magique qu'on ne peut préparer que les soirs de pleine lune.

— En quoi est-elle magique ?

— Elle rend beau et intelligent, répondit Jojo en se mordant les joues pour ne pas rire.

— Dans mon cas, je ne suis pas sûr que ce soit très utile, dit le loup, mais enfin ça ne peut pas faire de mal. »

Malgré sa grande vanité, Compère Loup accepta la proposition de Jojo.

« Très bien, déclara le lapin. Il faut aller chercher des orties, des chardons...

— Mais ça va avoir un goût épouvantable, s'écria le loup.

— ... de la luzerne, de l'herbe bien grasse...

— Enfin ! Je ne suis pas une vache. coupa le loup en faisant la grimace.

— ... et des choux, beaucoup de choux ! conclut Jojo imperturbable.

— Mais où allons-nous trouver tout ça ? gémit le loup.

— Tu n'as qu'à me suivre. Prends le beau panier tout neuf que je vois sur ta cheminée, et ne pose plus de questions. »

Le loup fit ce que lui disait Jojo et ils glissèrent dans la nuit.

Ils trouvèrent la luzerne et l'herbe bien grasse à la lisière de la forêt. Quant aux chardons, ils poussaient en abondance au bord du chemin.

Mais lorsque Jojo décida que les

seules bonnes orties étaient celles qui poussaient derrière l'église, le loup protesta :

« C'est en plein village ! Si les habitants m'aperçoivent, ils vont me faire la peau.

— Tu veux devenir beau et intelligent, oui ou non ?

— Oui », soupira le loup qui pensa à ce que lui avait encore dit la veille une jolie louve qu'il aimait beaucoup : « Mon pauvre, tu es le loup le plus bête du monde ! »

C'est en claquant des dents qu'il suivit Jojo derrière l'église.

« Maintenant il ne reste plus que les choux, déclara ensuite Jojo.

— Où allons-nous en trouver ? souffla le loup à demi mort de peur.

— Dans le potager du père Gaspard.

— C'est trop dangereux ! s'exclama le loup dont les poils se hérissèrent. La dernière fois que j'ai voulu faire un tour dans son poulailler, il a failli me tuer.

— Ce soir il dort, il n'y a aucun danger. Je suis passé devant chez lui avant de tomber dans ton maudit trou et je l'ai entendu ronfler comme un sonneur. Il fait si chaud qu'il avait laissé la fenêtre de sa chambre ouverte. »

Le loup se laissa convaincre.

Arrivé en vue du potager, Jojo dit à Compère Loup :

« Je vais aller faire le guet devant la chambre du père Gaspard. Toi, va chercher deux gros choux. Au moindre danger, je te donne l'alerte.

— Tu ne veux pas plutôt faire l'inverse ?

— Non, non, protesta Jojo. Le loup ça se sent à cent mètres et les chiens se mettraient aussitôt à aboyer.

— Tu as raison, dit le loup. A tout à l'heure. »

Jojo prit le panier et fit semblant de partir en direction de la ferme. Mais dès les premiers buissons il se mit à l'abri et jeta un coup d'œil entre les branches pour voir ce qui allait se passer.

Le loup enjamba la clôture du potager.

Hormis le chant de quelques grillons, la nuit était silencieuse.

Le loup se dirigea droit vers le carré de choux. Il se pencha, porta la main sur le plus beau d'entre eux et... bang ! Un coup de feu éclata, accompagné d'un hurlement de fureur :

« Maudite bestiole, te voilà qui mange mes choux maintenant. Je te jure que je vais t'en faire passer le goût et qu'avec ta peau je me ferai une descente de lit. »

Bang ! le père Gaspard tira un nouveau coup de fusil.

Evidemment le loup avait bondi et courait en zig-zag, mais cela n'empêcha pas une décharge de plombs d'endommager son postérieur.

Pendant les jours qui suivirent, Compère Loup fut dans l'incapacité de s'asseoir.

Jojo Lapin rentra chez lui en pleurant de rire. En souvenir de cette mémorable soirée, il conserva le panier tout neuf du loup qui se garda bien de venir le lui réclamer.

TABLE

IMPRIMÉ EN FRANCE PAR BRODARD ET TAUPIN
58, rue Jean Bleuzen - Vanves - Usine de La Flèche, 72200
Loi n° 49-956 du 16 juillet 1949 sur les publications destinées à la jeunesse.
Dépôt : février 1985.